OU___EUX

LOUISE L. HAY

**COMMENT LES AFFIRMATIONS
PEUVENT CHANGER VOTRE VIE**

AdA

Traduction : Diane Thivierge
Révision linguistique : Nicole Demers, André St-Hilaire
Révision : Nancy Coulombe
Typographie et mise en page : Sébastien Rougeau
Graphisme de la page couverture : Sébastien Rougeau
Illustrations : Joan Perrin-Falquet
Design : Jenny Richards
ISBN 2-89565-228-7
Première impression : 2005
Dépôt légal : premier trimestre 2005
Bibliothèque Nationale du Québec
Bibliothèque Nationale du Canada

Éditions AdA Inc.
1385, boul. Lionel-Boulet
Varennes, Québec, Canada, J3X 1P7
Téléphone : 450-929-0296
Télécopieur : 450-929-0220
www.ada-inc.com
info@ada-inc.com

Diffusion
Canada :   Éditions AdA Inc.
France :   D.G. Diffusion
                Rue Max Planck, B. P. 734
                31683 Labege Cedex
                Téléphone : 05-61-00-09-99
Suisse :   Transat - 23.42.77.40
Belgique :   D.G. Diffusion - 05-61-00-09-99

Imprimé au Canada

Participation de la SODEC.
Nous reconnaissons l'aide financière du gouvernement du Canada par l'entremise du Programme d'aide au développement de l'industrie de l'édition (PADIÉ) pour nos activités d'édition.
Gouvernement du Québec - Programme de crédit d'impôt pour l'édition de livres - Gestion SODEC.

SODEC

Catalogage avant publication de Bibliothèque et Archives Canada

Hay, Louise L.

   Oui, je peux : comment les affirmations peuvent changer votre vie
   Traduction de : I can do it.
   Doit être acc. d'un disque son.

   ISBN 2-89565-228-7

   1. Formules autosuggestives. 2. Autosuggestion. 3. Changement (Psychologie). 4. Confiance en soi. 5. Réalisation de soi. I. Titre

BF697.5.S47 H3914 2004   158.1   C2004-941660-X

*Je dédie ce court ouvrage
à mon auditoire qui grandit
sans cesse.
Que chacun d'entre vous
puisse maîtriser les
affirmations
de manière à vivre dans
l'amour, la paix, la joie,
la prospérité et le bien-être.*

TABLE DES MATIÈRES

· ·

· ·

OUI, JE PEUX

Introduction

Le pouvoir des affirmations

Aujourd'hui est un jour nouveau. Aujourd'hui, vous commencez à vous créer une vie remplie de joie et de satisfaction. Aujourd'hui, vous commencez à vous libérer de tout ce qui vous entrave. Et c'est aujourd'hui que les secrets de la vie vous seront révélés. Oui, vous *pouvez* changer votre vie pour le mieux. Vous possédez déjà les outils nécessaires : vos pensées et vos croyances. Je vais vous apprendre à les utiliser pour améliorer votre qualité de vie.

J'aimerais maintenant dire quelques mots sur les affirmations au profit de ceux d'entre vous qui ne sont pas familiers avec cette notion. L'affirmation se résume essentiellement à une parole ou à une pensée, peu importe son contenu. Tout compte fait, nous disons et pensons beaucoup de choses passablement négatives qui débouchent sur des expériences tout aussi négatives. Pour transformer notre vie, nous devons reprogrammer notre façon de penser et de parler de manière à la rendre positive.

L'affirmation est en quelque sorte la clé qui vous ouvrira cette porte. Elle marque le début de votre cheminement vers une nouvelle façon de vivre. En gros, c'est comme si vous disiez à votre subconscient : « *Je m'assume. Je suis conscient que je peux faire quelque chose pour changer.* » Lorsque je parle de *faire des affirmations*, je veux dire de choisir consciemment des mots qui aideront à *éliminer* quelque chose de votre vie ou à *créer* du neuf.

Chaque pensée qui se forme dans votre esprit et chaque mot que vous prononcez constituent des affirmations. Toutes nos réflexions d'autopersuasion et tous nos monologues intérieurs ne sont que des enchaînements d'affirmations. Vous utilisez constamment les affirmations, consciemment ou non. Chacun de vos mots et chacune de vos pensées constituent l'amorce d'une affirmation et d'une expérience de vie.

Vos croyances ne font que refléter des schémas de pensée venus de l'enfance et, en général, vous vous en accommodez fort bien. Certaines d'entre elles, cependant, limitent votre pouvoir de créer la réalité que vous prétendez vouloir. L'écart entre ce que vous voulez et ce que vous croyez mériter pourrait se révéler considérable. Vous devez porter attention à vos pensées, afin d'éliminer peu à peu celles qui donnent naissance à des expériences dont vous ne voulez *pas*.

Comprenez bien que chaque plainte est une affirmation qui a pour effet de renforcer ce que vous dites ne pas vouloir dans votre vie. Chaque fois que vous vous fâchez, vous affirmez que vous voulez davantage de colère. Chaque fois que vous vous sentez victime de quelque chose, vous affirmez que vous voulez *continuer* à vous sentir comme une victime. Si vous avez l'impression que la Vie ne vous donne pas ce que vous souhaitez, il est certain que vous ne recevrez jamais les bienfaits qu'elle prodigue aux autres — à moins que vous ne changiez votre façon de penser et de vous exprimer.

Penser de cette façon ne fait pas de vous une mauvaise personne. Vous n'avez simplement pas appris *comment* parler et penser. Partout dans le monde, les gens ne font que commencer à comprendre que nos pensées sont les précurseurs de nos expériences. Comme il est fort probable que vos parents l'ignoraient, ils n'ont pas pu vous l'enseigner. Ils vous ont transmis la vision de la vie qui leur avait été léguée par *leurs* parents. Ce n'est donc la faute de personne. Néanmoins, il est temps de tous nous réveiller et de commencer, consciemment, à nous bâtir une vie à notre goût, une vie qui nourrit nos aspirations. *Vous* le pouvez. *Je* le peux. Nous le pouvons *tous* — il suffit d'apprendre à le faire. Alors commençons dès maintenant.

Je vais d'abord vous entretenir des affirmations en général, pour ensuite vous montrer comment apporter des changements positifs dans différents domaines de votre vie comme la santé, les finances et la vie sentimentale. Ce livre n'est pas très long car, une fois que vous aurez maîtrisé l'art d'utiliser les affirmations, vous serez en mesure d'en appliquer les principes à toutes sortes de situations.

Certaines personnes sont d'avis que « les affirmations, ça ne fonctionne pas » (ce qui en soi est une affirmation), alors qu'elles veulent dire en fait qu'elles ne savent pas les utiliser correctement. Pendant qu'elles disent « *Je deviens plus prospère* », elles pensent « *Oh, c'est stupide, je sais que ça ne fonctionnera pas.* » Laquelle de ces deux affirmations l'emportera, pensez-vous ? Celle qui est négative, bien sûr, car elle reflète une conception de la vie bien ancrée dans les habitudes. Certaines personnes font des affirmations une fois par jour, puis passent le reste de la journée à se plaindre. Les résultats peuvent se faire attendre longtemps si l'on agit de la sorte. Les affirmations sous forme de plaintes remportent toujours la partie, car elles sont plus nombreuses et généralement énoncées avec plus de conviction.

Cependant, une fois les affirmations *énoncées*, la partie n'est pas gagnée. Ce que vous faites ensuite le restant de la journée et pendant la nuit compte encore plus. Pour obtenir des résultats rapides et uniformes avec les affirmations, il faut préparer un climat propice à leur épanouissement. Les affirmations peuvent se comparer à des graines que l'on sème dans la terre. Si le sol est pauvre, la récolte sera maigre. Si la terre est riche, la récolte sera abondante. Plus vous êtes capable d'avoir des pensées qui vous font du bien, plus vos affirmations se concrétiseront rapidement.

Alors ayez des pensées joyeuses, c'est aussi simple que ça. Et c'est *faisable*. La façon dont vous choisissez de penser à l'instant même est une simple question de choix, rien d'autre. Peut-être ne vous en rendez-vous même pas compte tellement vous pensez ainsi depuis longtemps mais, en réalité, c'est un choix. Maintenant... aujourd'hui... à l'instant même... vous pouvez choisir de penser autrement. Votre vie ne changera pas instantanément du tout au tout mais, si vous êtes persévérant et choisissez chaque jour d'avoir des pensées qui vous font du bien, vous verrez certainement des améliorations survenir dans tous les domaines de votre existence.

(Ce secret m'a été transmis par Esther Hicks/Abraham. Esther Hicks est une conférencière motivationnelle qui échange avec un groupe de guides spirituels portant le nom d'Abraham. Si vous ne connaissez pas le guide Abraham, je vous conseille d'appeler le (830) 755-2299 ou de vous rendre à WWW.ABRAHAM-HICKS.COM. Je considère Abraham comme l'un des meilleurs guides sur la planète, à l'heure actuelle.)

Chaque matin, au réveil, je déborde de gratitude pour la vie merveilleuse qui est la mienne et je choisis d'avoir des pensées joyeuses, peu importe ce que font les autres. Je n'y arrive pas chaque instant, mais au moins les trois quarts du temps. Résultat : ma capacité d'apprécier la vie a considérablement augmenté et je suis en mesure d'accueillir dans mon quotidien tellement plus de bonnes choses.

Vous ne vivez jamais que dans le moment *présent*. Vous ne pouvez exercer de contrôle sur aucun autre moment de votre vie. « Hier est de l'histoire ancienne, demain est un mystère, aujourd'hui est un cadeau, voilà pourquoi nous l'appelons le *présent*. » C'est ce que Maureen MacGinnis, mon professeur de yoga, ne manque jamais de répéter à chacun de ses cours. Si vous ne choisissez pas de vous sentir bien ici et maintenant, comment pensez-vous pouvoir attirer à vous le plaisir et l'abondance dans l'avenir ?

Comment vous sentez-vous en ce moment ? Bien ? Mal ? Quelles émotions ressentez-vous ? Que vous dit votre instinct ? Aimeriez-vous vous sentir mieux ? Alors trouvez une pensée ou une émotion plus positive. Si vous êtes triste, maussade, amer, rancunier, fâché, coupable, déprimé, jaloux, critique, ou que vous vous sentez mal d'une quelconque façon, c'est parce que la connexion entre vous et le flot continu de bonnes expériences que vous réserve l'Univers a été temporairement interrompue. Ne gaspillez pas votre énergie à vous blâmer vous-même. Rien ni personne ni même aucun endroit au monde ne peuvent influer sur vos émotions, car vous êtes le seul maître de votre pensée.

Cela implique que vous n'avez aucune emprise sur les autres. Voyez-vous, il est impossible de gouverner leurs pensées. Personne ne peut exercer de pouvoir sur quelqu'un d'autre sans que cette personne n'y consente. Il est important de prendre conscience de l'immense pouvoir de votre pensée. Vous pouvez entièrement maîtriser votre façon de penser. C'est la seule chose que vous pourrez maîtriser complètement. La nature de vos pensées déterminera ce que la vie vous apportera. Pour ma part, j'ai choisi la joie et la gratitude comme feuille de route. Il n'en tient qu'à vous de faire de même.

Quelles sont les pensées qui *vous* font du bien ? Celles qui sont imprégnées d'amour, d'appréciation, de gratitude, de souvenirs d'enfance heureux ? Celles dans lesquelles vous vous réjouissez d'être vivant et où vous débordez d'amour et de reconnaissance pour votre corps ? Appréciez-vous pleinement le moment présent et avez-vous hâte au lendemain ? Ce type de pensées reflète l'amour que vous avez pour vous-même, et l'amour qu'on se porte à soi-même est source de miracles dans la vie.

Passons maintenant aux affirmations, qui consistent à choisir consciemment des pensées qui auront des effets positifs sur l'avenir. Elles forment en quelque sorte un point d'ancrage à partir duquel vous pouvez commencer à modifier votre façon de penser. Les énoncés affirmatifs ont *le pouvoir d'aller au-delà de la réalité du présent pour modeler l'avenir à l'image des mots prononcés à l'instant même.*

Lorsque vous choisissez de dire *« Je suis très prospère »*, il se peut que vous ayez très peu d'argent dans votre compte de banque au moment où vous prononcez ces mots, mais vous semez les graines de votre prospérité future. Chaque fois que vous répétez cet énoncé, vous renforcez le pouvoir des graines semées dans l'atmosphère de votre mental. Voilà pourquoi il est important que cette atmosphère soit empreinte de *joie*. Les semences poussent beaucoup plus vite en sol riche et fertile.

Il est important que toutes vos affirmations soient énoncées au *présent* et au long. Tous les mots doivent être prononcés dans leur intégralité afin que leur pouvoir ne soit pas affaibli. En général, une affirmation débute par « *J'ai…* » ou « *Je suis…* » Si vous dites « Je vais avoir… » ou « Je vais être… », votre pensée reste là-bas, loin dans l'avenir. L'Univers prend vos mots et vos pensées au pied de la lettre et vous donne exactement ce que vous avez demandé. *Toujours.* Raison de plus pour entretenir un climat mental favorable. En effet, il est plus facile de formuler des affirmations positives lorsqu'on se sent bien.

Pensez-y bien : étant donné que chaque pensée compte, n'en gaspillez aucune. Chaque pensée positive vous procure quelque chose de bon. Chaque pensée négative éloigne de vous les bonnes choses et les maintient hors de votre portée. Combien de fois dans votre vie avez-vous cru tenir quelque chose pour le voir disparaître juste au moment où vous pensiez l'avoir bien en main ? Si vous pouviez vous souvenir des idées qui vous trottaient dans la tête à ce moment-là, vous sauriez pourquoi ça s'est passé ainsi. Lorsque les pensées négatives sont trop nombreuses, elles barrent la route aux affirmations positives.

Si vous dites « Je ne veux plus être malade », cela ne constitue pas une affirmation de bonne santé. Vous devez énoncer clairement ce que vous *voulez*, comme « *J'apprécie maintenant le fait d'être en parfaite santé.* »

L'énoncé « Je déteste cette voiture » ne vous attirera pas une splendide auto neuve, parce que vous n'êtes pas précis. Même si vous obteniez une nouvelle voiture, vous finiriez probablement par la détester quelque temps après parce que c'est ce que vous avez affirmé. Si vous désirez une nouvelle voiture, dites quelque chose comme : « *J'ai une merveilleuse nouvelle voiture qui répond à tous mes besoins.* »

On entend parfois des gens dire « La vie est moche ? » (ce qui constitue en soi une horrible affirmation). Imaginez seulement le genre d'événement qu'une *telle* affirmation peut vous attirer ! Bien entendu, ce n'est pas la vie qui est moche, c'est votre façon de penser. Ce genre de pensée contribuera à entretenir chez vous un horrible malaise. Et, lorsque vous vous sentez moche, rien de bon ne peut entrer dans votre vie.

Ne vous attardez pas à vos problèmes relationnels, physiques, monétaires, etc. Plus vous parlez d'un problème, plus vous l'ancrez dans la réalité. Ne blâmez pas les autres pour ce qui n'a pas l'air d'aller dans votre vie — ce n'est qu'une façon de plus de perdre votre temps. Souvenez-vous de ceci : vous êtes sous la gouverne de votre propre conscience et de vos propres pensées, et vous vous attirez précisément les expériences que génère votre pensée.

Lorsque vous modifiez votre façon de penser, tout change dans votre vie. Vous serez émerveillé de constater comment les gens, les lieux, les choses et les circonstances peuvent changer. Le blâme n'est qu'une autre forme d'affirmation négative et je vous encourage à ne pas gaspiller vos précieuses pensées sur un tel sujet. Exercez-vous plutôt à faire passer vos affirmations de négatives à positives.

Par exemple :

Je déteste mon corps.	DEVIENT	*J'aime mon corps et je l'apprécie.*
Je n'ai jamais assez d'argent.	DEVIENT	*L'argent circule en abondance dans ma vie.*
J'en ai assez d'être malade.	DEVIENT	*Je permets à mon corps de retrouve une santé vigoureuse, comme à l'origine.*
Je suis trop gros.	DEVIENT	*Je rends honneur à mon corps et j'en prends bien soin.*
Personne ne m'aime.	DEVIENT	*J'irradie l'amour et l'amour remplit ma vie.*
Je ne suis pas créatif.	DEVIENT	*Je me découvre des talents que je ne me connaissais pas.*
Je suis coincé dans un emploi moche.	DEVIENT	*De fabuleuses nouvelles avenues s'ouvrent à moi continuellement.*
Je ne suis pas à la hauteur.	DEVIENT	*Je suis en train de m'améliorer et je mérite ce qu'il y a de mieux.*

Cela ne veut pas dire que vous devez être alarmé par toutes vos pensées. Lorsque vous commencerez à changer et que vous deviendrez conscient de chacune d'elles, vous serez horrifié de constater à quel point vous aviez l'habitude de baigner dans la négativité. Lorsque vous vous surprendrez à avoir une pensée négative, dites-vous simplement « *C'est une ancienne pensée et je choisis de ne plus penser de cette façon.* » Essayez ensuite de trouver le plus rapidement possible une pensée positive qui puisse la remplacer. L'objectif, si vous vous souvenez bien, c'est de vous sentir le mieux possible. L'amertume, la rancœur, le blâme et la culpabilité vous rendent malheureux. Et c'est là une habitude dont il est important de vous défaire.

Le fait de ne pas vous sentir à la hauteur, de croire que vous ne méritez pas ce qu'il y a de mieux dans la vie, constitue un autre obstacle au bon fonctionnement des affirmations positives. Si c'est votre cas, vous pourriez commencer par lire le chapitre 8, « L'estime de soi ». Vous essaierez de mémoriser le plus grand nombre possible d'affirmations visant à accroître l'estime de soi et vous les répéterez souvent. Vous pourrez de la sorte remplacer votre ancien sentiment de dévalorisation par une toute nouvelle estime de vous-même. Vous verrez que vos affirmations se matérialiseront par la suite.

Les affirmations sont en fait des solutions qui se substituent à un problème, quel qu'il soit. Devant une difficulté, répétez inlassablement :

« Tout va bien. Tout va se régler pour mon plus grand bien.
Le dénouement n'engendrera que du positif. Je suis en sécurité. »

Cette affirmation toute simple fera des miracles dans votre vie.

Je vous conseille de ne pas partager vos affirmations avec des personnes qui risquent de dénigrer ce processus. Au début, il est préférable de garder ses pensées pour soi, jusqu'à ce que le résultat souhaité soit atteint. Vos amis s'exclameront alors : « Ta vie a tellement changé. Tu es si différent. Qu'as-tu fait pour cela ? »

Relisez cette introduction plusieurs fois, jusqu'à ce que vous en maîtrisiez les principes, puis mettez ceux-ci en pratique. Concentrez-vous sur les chapitres qui vous concernent le plus et pratiquez assidûment les affirmations qui s'y trouvent. Et n'oubliez pas d'inventer vos propres affirmations.

En voici quelques-unes à utiliser dès maintenant :

« Je <u>peux</u> me sentir bien dans ma peau ! »
« Je <u>peux</u> apporter des changements positifs dans ma vie ! »
« Oui, je <u>peux</u> ! »

OUI, JE PEUX

La santé

Si vous désirez améliorer votre santé, vous devez *absolument* éviter un certain nombre de choses. Vous ne devez jamais être en colère contre votre propre corps, pour quelque motif que ce soit. La colère est une forme d'affirmation qui dit à votre corps que vous le détestez en tout ou en partie. Vos cellules captent chacune de vos pensées. Imaginez votre corps comme un fidèle serviteur qui fait tout en son pouvoir pour vous garder en santé, peu importe ce que vous lui infligez.

Votre corps sait très bien comment se guérir. Si vous le nourrissez et l'abreuvez sainement, si vous lui faites faire de l'exercice et le faites dormir suffisamment, et si vos pensées sont agréables, vous lui faciliterez la tâche. Les cellules travailleront alors dans un climat sain et joyeux. Mais, si vous passez le plus clair de votre temps affalé devant la télé, que vous remplissez votre corps d'aliments vides et de boissons gazeuses, que vous ne dormez pas assez et que vous êtes le plus souvent maussade et irritable, les cellules de votre corps travailleront à contre-courant. Elles évolueront dans une atmosphère néfaste. Si tel est le cas, ce n'est pas surprenant que votre corps ne soit pas aussi sain que vous le souhaiteriez.

Vous n'arriverez jamais à restaurer votre santé en parlant de votre maladie ou en y pensant. Une bonne santé est le fruit de l'amour et de l'appréciation. Mettez un maximum d'amour dans votre corps. Parlez-lui et cajolez-le avec tendresse. Si une partie de votre corps est affectée par un malaise ou un mal-être, traitez-la comme vous le feriez pour un petit enfant malade. Dites-lui combien vous l'aimez et assurez-la que vous faites tout en votre pouvoir pour l'aider à guérir rapidement.

Lorsque vous êtes malade, votre corps a besoin de plus qu'un produit chimique administré par le médecin pour que les symptômes soient supprimés. Il est en train de vous dire que vous faites quelque chose qui lui est nocif. Vous devez en apprendre davantage sur la santé — plus vous en saurez là-dessus, plus il vous sera facile de prendre soin de votre corps. Évitez de *choisir* de vous sentir victime : cela reviendrait à vous départir de votre propre pouvoir. Vous pourriez vous rendre à la librairie et acheter l'un des nombreux guides portant sur la santé ou encore vous adresser à un nutritionniste qui concevra pour vous un régime alimentaire adapté à vos besoins ; quoi que vous fassiez, n'oubliez surtout pas de toujours évoluer dans un climat mental sain et joyeux. Participez de bon gré à votre propre régime de santé.

J'ai la ferme conviction que nous créons nous-mêmes chaque état que nous nommons « maladie ». Le corps est à l'image du reste : il est le miroir de nos pensées et de nos croyances intimes. Notre corps nous parle sans cesse. Il suffit de nous arrêter un moment et de prendre le temps de l'écouter. Chacune de ses cellules réagit à chacune de nos pensées et à chaque mot qui sort de notre bouche.

Lorsqu'une certaine façon de parler ou de penser est installée à demeure, elle finit par engendrer un certain type de comportements, de postures, d'états de bien-être et de mal-être. Lorsque quelqu'un a toujours le visage long, on sait très bien qu'il n'en est pas arrivé là en cultivant des pensées empreintes de joie et d'amour. On devine facilement le genre de pensées qui a habité les personnes âgées durant toute leur vie quand on observe leur corps et leur visage : tout y est inscrit. De quoi aurez-*vous* l'air lorsque vous serez vieux ?

Exercez-vous à accepter le fait que votre vie n'est pas le fruit du hasard, mais un chemin qui mène à l'éveil. Si vous vivez chaque jour dans cette optique, vous ne vieillirez jamais. Vous ne ferez que continuer à croître. Pensez au jour de vos 49 ans comme à l'aube d'une nouvelle vie. De nos jours, lorsqu'une femme atteint 50 ans sans avoir de cancer ou de maladie du coeur, elle peut s'attendre à fêter ses 92 ans. Vous seul pouvez vous créer un cycle de vie *sur mesure*. Alors, changez *dès maintenant* votre façon de penser et ayez le vent dans les voiles ! Il y a une très bonne raison pour laquelle vous êtes ici, et tout ce dont vous avez besoin se trouve à votre portée.

Vous pouvez choisir d'avoir des pensées qui instaurent un climat mental propice à la maladie ou des pensées qui instaurent un climat sain, aussi bien en vous qu'autour de vous. (Mon livre *Heal Your Body* est un guide complet des causes métaphysiques des états de mal-être et il contient toutes les affirmations dont vous pourriez avoir besoin pour en triompher.)

La santé

❋ J'APPRÉCIE LES ALIMENTS QUI SONT BONS POUR MON CORPS. J'AIME CHAQUE CELLULE DE MON CORPS.

❋ JE SAIS QUE JE VIEILLIRAI EN SANTÉ PARCE QUE JE M'OCCUPE DE MON CORPS AVEC AMOUR.

❋ JE NE CESSE DE DÉCOUVRIR DE NOUVELLES FAÇONS D'AMÉLIORER MON ÉTAT DE SANTÉ.

❋ JE FOURNIS À MON CORPS CE DONT IL A BESOIN SUR TOUS LES PLANS AFIN DE LUI RENDRE SON ÉTAT DE SANTÉ OPTIMAL.

❋ JE N'AI AUCUNE DOULEUR ET JE SUIS TOTALEMENT EN ACCORD AVEC LA VIE.

❋ JE GUÉRIS ! JE LAISSE L'INTELLIGENCE DE MON CORPS FAIRE SON TRAVAIL DE GUÉRISON NATURELLEMENT, SANS ÊTRE ENCOMBRÉ PAR LE MENTAL.

❋ MON CORPS FAIT TOUJOURS SON POSSIBLE POUR OPTIMISER MON ÉTAT DE SANTÉ.

❋ JE MÈNE UNE VIE ÉQUILIBRÉE. MES ACTIVITÉS SONT RÉPARTIES ÉQUITABLEMENT ENTRE LE TRAVAIL, LE REPOS ET LES DIVERTISSEMENTS.

❋ JE SUIS RECONNAISSANT D'ÊTRE EN VIE AUJOURD'HUI. J'AI LE PLAISIR ET LA JOIE DE VIVRE UNE AUTRE MERVEILLEUSE JOURNÉE.

✿ J'ACCEPTE DE DEMANDER DE L'AIDE AU BESOIN. JE CHOISIS TOUJOURS LE PROFESSIONNEL DE LA SANTÉ QUI RÉPOND LE MIEUX À MES BESOINS.

✿ J'AI CONFIANCE EN MON INTUITION. J'ACCEPTE D'ÉCOUTER LA PETITE VOIX QUI SOMMEILLE EN MOI.

✿ JE DORS TOUT MON SOÛL. MON CORPS APPRÉCIE LA FAÇON DONT JE M'EN OCCUPE.

✿ JE FAIS, AVEC AMOUR, TOUT EN MON POUVOIR POUR AIDER MON CORPS À RESTER EN PARFAITE SANTÉ.

✿ J'AI UN ANGE GARDIEN. JE SUIS EN TOUT TEMPS GUIDÉ ET PROTÉGÉ PAR LE DIVIN.

✿ JE REVENDIQUE MON DROIT DIVIN À UNE SANTÉ PARFAITE.

✿ JE ME RÉSERVE DU TEMPS POUR AIDER LES AUTRES, ET MA SANTÉ EN BÉNÉFICIE.

✿ JE SUIS RECONNAISSANT D'ÊTRE EN BONNE SANTÉ. J'AIME LA VIE.

❀ JE SUIS LA SEULE PERSONNE À POUVOIR MAÎTRISER MES HABITUDES ALIMENTAIRES. JE SUIS TOUJOURS CAPABLE DE DIRE NON SI JE LE DÉCIDE.

❀ L'EAU EST MA BOISSON PRÉFÉRÉE. J'EN BOIS BEAUCOUP AFIN DE PURIFIER MON CORPS ET MON ESPRIT.

❀ LE CHEMIN LE PLUS DIRECT VERS LA SANTÉ CONSISTE À ENTRETENIR DES PENSÉES AGRÉABLES.

❀ MES PENSÉES AGRÉABLES CONTRIBUENT À LA SANTÉ DE MON CORPS.

❀ JE ME RECUEILLE ET ENTRE EN CONTACT AVEC LA PART DE MOI QUI SAIT GUÉRIR.

❀ JE RESPIRE AMPLEMENT ET PROFONDÉMENT. JE RESPIRE LA VIE ET ELLE ME NOURRIT.

JE SUIS RECONNAISSANT D'ÊTRE
EN BONNE SANTÉ.
J'AIME LA VIE.

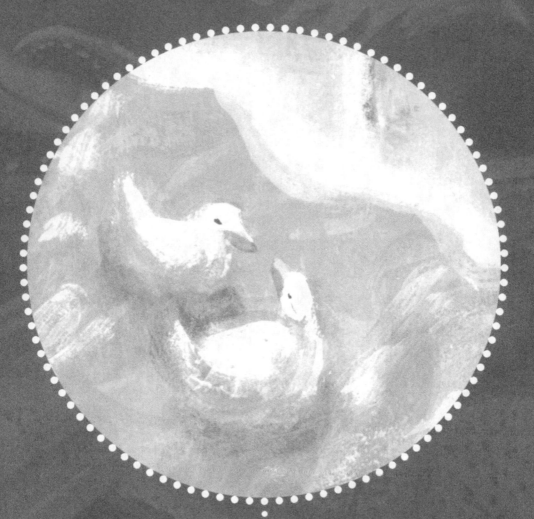

OUI, JE PEUX

Le pardon

Vous ne pourrez jamais vous libérer de l'amertume tant et aussi longtemps que vous aurez du ressentiment. Comment pouvez-vous être heureux en ce moment si vous continuez de choisir d'être en colère et rancunier ? Des pensées baignées d'amertume ne peuvent générer de la joie. Peu importe combien vous croyez légitime d'avoir de telles pensées, peu importe ce qu'*ils* ont fait, si vous insistez pour vous accrocher au passé, vous ne serez jamais libre. En pardonnant aux autres et à vous-même, vous vous libérez des chaînes du passé.

Lorsque vous avez l'impression de ne plus avancer ou que vos affirmations ne donnent pas les résultats escomptés, cela veut généralement dire que vous avez encore du travail à faire du côté du pardon. Lorsque vous n'arrivez pas à vivre au fil des événements et à habiter le moment présent, c'est que vous êtes probablement resté accroché à un souvenir sous forme de regret, de blessure, de peur, de culpabilité, de colère, de ressentiment ou même de désir de vengeance.

Chacun de ces états a pris naissance là où, en vous, vous n'avez pas pardonné et avez refusé de lâcher prise pour accueillir l'instant présent. Vous ne pouvez façonner votre avenir qu'à partir du moment présent.

Si vous vous accrochez au passé, vous ne pourrez pas habiter le moment présent. Vos pensées et vos paroles n'ont de pouvoir que si vous les émettez alors que vous êtes dans l'*ici maintenant*. Il est donc impératif que vos pensées courantes ne créent pas votre avenir à partir des résidus de votre passé.

Blâmer quelqu'un, c'est se déposséder de son propre pouvoir ; c'est remettre entre les mains de l'autre la responsabilité de ses propres émotions. Il arrive que les agissements d'une personne de votre entourage déclenchent chez vous un malaise. Ce n'est pas l'autre, bien sûr, qui s'est introduit par effraction dans votre corps pour aller y déposer les cordes sensibles qui viennent de vibrer. Être responsable de ses sentiments et de ses actes consiste en fait à maîtriser son *pouvoir de réaction*, c'est-à-dire apprendre à devenir conscient de ses réactions au lieu de les subir.

Pour plusieurs d'entre nous, le pardon est une notion difficile à saisir et qui prête à confusion. Sachez cependant qu'il existe une différence entre le pardon et l'acceptation. Pardonner à quelqu'un ne revient pas nécessairement à fermer les yeux sur son comportement ! Le pardon se passe dans la tête de celui qui pardonne et ne concerne nullement la personne qui en est l'objet. Le vrai pardon consiste à se libérer soi-même de la souffrance. Il suffit simplement de se détacher de l'énergie négative à laquelle on avait choisi de s'accrocher.

Pardonner n'équivaut pas non plus à laisser la porte ouverte aux comportements ou aux gestes blessants à son égard. Pour pardonner, nous devons parfois lâcher prise. Vous pardonnez à la personne qui vous a fait du mal, puis vous la libérez. Le geste le plus généreux que vous puissiez poser envers vous-même — et envers l'autre — serait de faire preuve de fermeté et d'imposer de saines limites.

Peu importe ce qui a fait naître cn vous cette amertume et ce ressentiment, vous pouvez les dépasser. Vous avez le choix. Vous pouvez rester coincé et rempli de ressentiment ou vous faire la faveur de choisir délibérément d'oublier ce qui s'est passé, de le laisser aller, puis de poursuivre votre chemin vers une vie riche et joyeuse. Vous êtes libre de faire de votre vie ce que vous voulez parce que vous êtes libre de vos *choix*.

Le pardon •••••••••••••••••••

❋ LA PORTE DE MON COEUR S'OUVRE VERS L'INTÉRIEUR. JE PASSE PAR LE PARDON POUR ME RENDRE À L'AMOUR.

❋ AUJOURD'HUI, J'ÉCOUTE MES ÉMOTIONS ET JE ME TRAITE AVEC BONTÉ. JE SAIS QUE TOUS MES SENTIMENTS SONT DES AMIS.

❋ LE PASSÉ EST DERRIÈRE MOI. IL N'A DONC PLUS DE POUVOIR. LES PENSÉES QUE J'ENTRETIENS MAINTENANT FAÇONNENT MON AVENIR.

❋ JE N'AI PAS DE PLAISIR À ÊTRE UNE VICTIME. JE NE VEUX PLUS ÊTRE EN DÉTRESSE. JE REVENDIQUE MON PROPRE POUVOIR.

❋ JE ME FAIS LE CADEAU DE ME LIBÉRER DU PASSÉ ET D'HABITER AVEC JOIE LE MOMENT PRÉSENT.

❋ AU BESOIN, J'OBTIENS L'AIDE NÉCESSAIRE DE SOURCES VARIÉES. MON RÉSEAU D'ENTRAIDE EST SOLIDE ET COMPATISSANT.

❋ AUCUN PROBLÈME, GRAVE OU ANODIN, NE RÉSISTE À L'AMOUR.

❋ JE SUIS PRÊT POUR LA GUÉRISON. J'ACCEPTE DE PARDONNER. TOUT VA POUR LE MIEUX.

❋ LORSQUE JE FAIS UNE ERREUR, JE COMPRENDS QU'ELLE N'EST QU'UN MAILLON DU PROCESSUS D'APPRENTISSAGE.

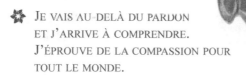

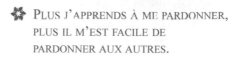

AU FUR ET À MESURE QUE JE MODIFIE MES PENSÉES, LE MONDE AUTOUR DE MOI SE TRANSFORME.

✿ JE VAIS AU-DELÀ DU PARDON ET J'ARRIVE À COMPRENDRE. J'ÉPROUVE DE LA COMPASSION POUR TOUT LE MONDE.

✿ CHAQUE JOURNÉE EST REMPLIE DE POSSIBILITÉS NOUVELLES. HIER EST DERRIÈRE MOI. AUJOURD'HUI EST LE PREMIER JOUR DE MON AVENIR.

✿ JE SAIS QUE LES VIEUX SCHÉMAS NÉGATIFS NE ME LIMITENT PLUS. JE M'EN LIBÈRE AISÉMENT.

✿ JE SUIS PARDON, AMOUR, DOUCEUR ET BONTÉ, ET JE SAIS QUE LA VIE M'AIME.

✿ PLUS J'APPRENDS À ME PARDONNER, PLUS IL M'EST FACILE DE PARDONNER AUX AUTRES.

✿ J'AIME ET J'ACCEPTE LES MEMBRES DE MA FAMILLE TELS QU'ILS SONT MAINTENANT.

❀ JE ME PARDONNE DE NE PAS ÊTRE PARFAIT. JE VIS DU MIEUX QUE JE PEUX MAINTENANT.

❀ JE NE PEUX CHANGER PERSONNE. JE LAISSE LES AUTRES ÊTRE EUX-MÊMES ET JE M'AIME TOUT SIMPLEMENT COMME JE SUIS.

❀ JE PEUX MAINTENANT, EN TOUTE SÉCURITÉ, ME LIBÉRER DE TOUS LES TRAUMATISMES DE L'ENFANCE ET ENTRER DANS L'AMOUR.

❀ JE SAIS QUE JE NE PEUX PAS ENDOSSER UNE RESPONSABILITÉ POUR QUELQU'UN D'AUTRE. NOUS VIVONS TOUS SOUS LA LOI DE NOTRE PROPRE CONSCIENCE.

❀ JE REVIENS AUX PRINCIPES ESSENTIELS DE LA VIE : LE PARDON, LE COURAGE, LA GRATITUDE, L'AMOUR ET L'HUMOUR.

❀ TOUS LES GENS QUI M'ENTOURENT ONT QUELQUE CHOSE À M'APPRENDRE. CE N'EST PAS UN HASARD SI NOUS SOMMES ENSEMBLE.

❀ JE PARDONNE À TOUS CEUX QUI M'ONT DÉJÀ FAIT DU MAL, INTENTIONNELLEMENT OU NON. JE LES LIBÈRE AVEC AMOUR.

❀ TOUS LES CHANGEMENTS QUI SE PRÉPARENT DANS MA VIE SONT POSITIFS. JE SUIS EN SÉCURITÉ.

JE SUIS PARDON, AMOUR,
DOUCEUR ET BONTÉ, ET JE
SAIS QUE LA VIE M'AIME.

OUI, JE PEUX

3

La prospérité

Jamais vous n'attirerez la prospérité si vous parlez ou pensez en fonction du manque d'argent. Ce type de pensées ne vous rapportera rien et encore moins l'abondance. En s'appesantissant sur le manque, on ne réussit qu'à en créer davantage. En pensant pauvreté, on en attire encore plus. Par contre, des pensées de gratitude récoltent l'abondance.

Voici quelques-unes des affirmations et des attitudes qui, à coup sûr, maintiendront la prospérité hors de votre portée. Prenez l'affirmation « *Je n'ai jamais assez d'argent* » : elle est affreuse ! Voixi une autre affirmation non productive : « *L'argent sort plus vite qu'il ne rentre.* » Il ne peut y avoir pire pensée en ce qui concerne la pauvreté ! L'Univers n'agira qu'en fonction de ce que vous pensez de vous-même et de votre vie. Penchez-vous sur toutes vos pensées négatives au sujet de l'argent, puis décidez de vous en libérer et laissez-les s'envoler. Elles ne vous ont pas rendu service par le passé et ne le feront sûrement pas dans l'avenir.

Les gens s'imaginent parfois que leurs problèmes d'argent vont se régler le jour où ils recevront un héritage d'un parent perdu de vue ou encore le jour où ils gagneront à la loterie. Rien ne vous empêche de rêver un peu et même d'acheter un billet de loterie à l'occasion si le coeur vous en dit, mais de grâce ne comptez pas réellement là-dessus pour obtenir de l'argent. Ces *pensées de pénurie* ou *de pauvreté* n'amèneront aucun gain durable dans votre vie. Quant à la loterie, il est rare que la vie du gagnant en soit améliorée. En fait, la plupart des gens qui gagnent à la loterie perdent presque tout leur argent dans les deux années qui suivent ; ils n'ont rien de concret à montrer qui prouve qu'ils en ont eu et, par surcroît, leur situation pécuniaire est pire qu'avant. Somme toute, l'argent acquis de cette façon ne résout pratiquement jamais rien. Pourquoi ? Parce qu'il ne change pas le niveau de conscience de la personne qui le reçoit. C'est un peu comme si l'on disait à l'Univers : « Je ne mérite pas qu'il m'arrive du bon : seule la chance pourrait m'en apporter. »

Si seulement vous pouviez devenir plus conscient et changer votre façon de penser afin de permettre à l'Univers de marquer votre vie du sceau de l'abondance, vous pourriez avoir tout ce que vous aimeriez que la loterie vous apporte. Oui et, *par surcroît*, vous pourriez le conserver, car ce droit vous serait acquis à la faveur de l'élargissement de votre conscience. Affirmer, déclarer, sentir qu'on a droit à quelque chose et permettre à cette chose de se réaliser constituent les étapes menant à la matérialisation de richesses bien plus grandes que celles que vous pourriez gagner à la loterie.

La *malhonnêteté* constitue un autre obstacle potentiel à votre prospérité. Tout ce qui vient de vous vous revient, et ce, sans exception. Ce que vous dérobez à la

vie, elle vous le reprend. C'est aussi simple que cela. Vous avez peut-être l'impression de ne jamais rien voler, mais avez-vous pensé aux trombones et aux timbres que vous rapportez du bureau ? Ou encore êtes-vous quelqu'un qui vole du temps, prive quelqu'un d'autre de respect ou lui « dérobe » un être cher ? Tout cela compte. C'est un peu comme si vous disiez à l'Univers : « Je ne mérite pas vraiment les bonnes choses de la vie, je dois m'en emparer furtivement. »

Devenez conscient de ce qui bloque le flot d'argent dans votre vie, puis modifiez ces croyances de manière à instaurer en vous une nouvelle façon de penser en fonction de l'abondance. Même si personne avant vous n'a jamais fait cela dans votre famille, ouvrez-vous à la notion d'argent qui coule dans votre vie.

Pour prospérer, vous devez *penser prospérité*. Je vous propose deux affirmations que j'utilise personnellement depuis plusieurs années et qui m'ont bien servie jusqu'à présent. Je suis persuadée qu'elles en feront tout autant pour vous. Les voici :

« *Mon revenu ne cesse d'augmenter.* »
et
« *Quelle que soit la voie que j'emprunte, je réussis.* »

J'avais très peu d'argent lorsque j'ai commencé à utiliser ces affirmations. À force de pratique, elles ont fini par se concrétiser.

Je crois depuis longtemps que le monde des affaires est un milieu où les gens se veulent du bien et se font prospérer les uns les autres. Je n'ai jamais compris que l'on fasse des affaires dans un climat de concurrence acharnée où il est permis de tricher et d'écraser l'autre. Nous sommes loin d'un mode de vie où règne la joie. Il y a tellement de richesses dans notre monde — il ne nous reste qu'à en prendre conscience et à se les partager.

Chez Hay House, ma maison d'édition, nous avons toujours fait preuve d'honnêteté et de probité. Nous tenons parole, faisons du bon travail et traitons nos collaborateurs avec respect et générosité. Lorsqu'on vit ainsi, il est difficile d'empêcher l'argent d'arriver jusqu'à soi ; l'Univers nous récompense à chaque tournant. Aujourd'hui, nous avons une réputation enviable dans le monde des affaires et tellement d'occasions s'offrent à nous que nous devons en refuser. Nous ne voulons pas grandir au point de perdre la touche personnelle qui nous distingue.

Si, moi, qui ai subi de mauvais traitements lorsque j'étais enfant et qui n'ai pas même fini mon secondaire, j'y suis parvenue, *vous le pouvez aussi*. Alors, une fois par jour, tenez-vous debout devant un miroir, les bras grand ouverts, et dites :

« *Je suis ouvert et réceptif à tout ce qu'il y a de bon dans l'Univers.*
Merci, la vie. »

La vie vous entendra et vous répondra.

La prospérité ·············

❊ J'ATTIRE L'ARGENT COMME UN AIMANT. TOUTES LES FORMES DE PROSPÉRITÉ SONT ATTIRÉES VERS MOI.

❊ J'AI DE GRANDES ASPIRATIONS ET JE ME PERMETS D'ACCEPTER ENCORE PLUS DE RICHESSES DE LA VIE.

❊ OÙ QUE JE TRAVAILLE, ON M'APPRÉCIE ÉNORMÉMENT ET ON ME PAIE GÉNÉREUSEMENT.

❊ AUJOURD'HUI EST UNE JOURNÉE MERVEILLEUSE. L'ARGENT VIENT VERS MOI DE FAÇON PRÉVISIBLE ET IMPRÉVISIBLE.

❊ TOUTES LES POSSIBILITÉS S'OFFRENT À MOI. LES OCCASIONS SONT PARTOUT.

❊ JE SUIS PERSUADÉ QUE NOUS SOMMES ICI POUR NOUS FAIRE DU BIEN LES UNS LES AUTRES ET NOUS AIDER À PROSPÉRER. MES ACTIONS QUOTIDIENNES EN TÉMOIGNENT.

❊ JE SOUTIENS LES AUTRES DANS LEURS EFFORTS POUR DEVENIR PROSPÈRES ET, EN RETOUR, LA VIE A DE MERVEILLEUSES FAÇONS DE ME SOUTENIR DANS MES EFFORTS.

❊ JE FAIS PRÉSENTEMENT UN TRAVAIL QUE J'AIME ET JE SUIS BIEN PAYÉ EN RETOUR.

J'IRRADIE LE SUCCÈS ET JE RÉUSSIS TOUT CE QUE J'ENTREPRENDS.

✿ J'AI PLAISIR À GÉRER L'ARGENT QUI VIENT VERS MOI AUJOURD'HUI. J'EN DÉPENSE UNE PARTIE ET J'ÉCONOMISE LE RESTE.

✿ JE VIS DANS UN MONDE OÙ RÈGNENT L'AMOUR, L'ABONDANCE ET L'HARMONIE, ET J'EN SUIS RECONNAISSANT.

✿ JE SUIS MAINTENANT PRÊT À M'OUVRIR À L'INFINIE PROSPÉRITÉ QUI EXISTE PARTOUT.

✿ L'ARGENT EST UN ÉTAT D'ESPRIT QUI ME SOUTIENT. JE PERMETS À LA PROSPÉRITÉ D'ENTRER DANS MA VIE ENCORE DAVANTAGE.

✿ LA VIE COMBLE TRÈS GÉNÉREUSEMENT TOUS MES BESOINS. JE LUI FAIS CONFIANCE.

✿ LA LOI DE L'ATTRACTION NE M'APPORTE QUE DU BON.

✿ JE PASSE D'UNE FAÇON DE PENSER QUI ATTIRE LA PAUVRETÉ À UNE FAÇON DE PENSER QUI ATTIRE LA RICHESSE ET MES FINANCES REFLÈTENT CE CHANGEMENT.

✿ JE SUIS ENCHANTÉ DU CLIMAT DE SÉCURITÉ FINANCIÈRE QUI EST UNE CONSTANTE DANS MA VIE.

❄ Plus je suis reconnaissant pour la richesse et l'abondance dans ma vie, plus j'ai de raisons d'être reconnaissant.

❄ J'exprime ma gratitude pour tout ce qu'il y a de bon dans ma vie. Chaque jour me réserve de merveilleuses surprises.

❄ Je paie mes factures avec amour et je me réjouis chaque fois que je fais un chèque. L'abondance coule librement à travers moi.

❄ En ce moment même, une richesse et un pouvoir inouïs sont à ma disposition. Je choisis de me sentir à la hauteur et de les mériter.

❄ Je mérite ce qu'il y a de mieux et je l'accepte à l'instant même.

❄ Je laisse aller toute résistance à l'argent et je l'accueille maintenant avec joie dans ma vie.

❄ Il me vient des bonnes choses de tous et de partout.

LA VIE COMBLE TRÈS
GÉNÉREUSEMENT
TOUS MES BESOINS.
JE FAIS CONFIANCE
À LA VIE.

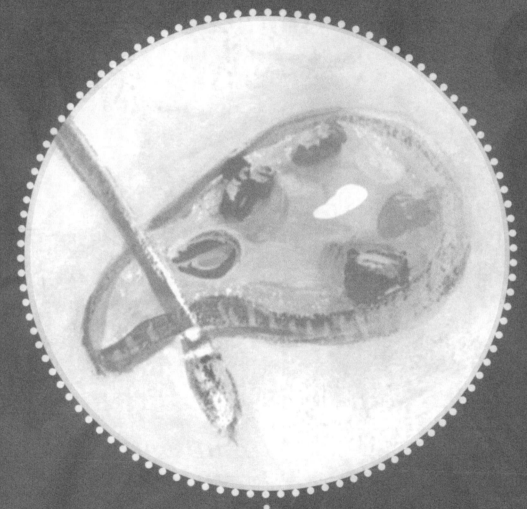

OUI, JE PEUX

4

La créativité

Vous ne pourrez jamais exprimer votre créativité si vous ne cessez pas de vous traiter d'empoté. Si vous dites « Je ne suis pas créatif », cette affirmation se concrétisera jusqu'à ce que vous cessiez de l'utiliser. Vous êtes né avec un courant de créativité qui circule en vous. Si vous le laissez sortir, vous aurez une agréable surprise. Vous êtes raccordé à la grande source de créativité universelle. Certains d'entre vous peuvent s'exprimer de manière plus créative que d'autres, mais chacun en est capable.

Nous créons notre vie chaque jour qui passe. Nous avons tous des talents uniques, mais bon nombre d'entre nous avons vu notre créativité étouffée par des adultes pourtant bien intentionnés lorsque nous étions enfants. Un de mes professeurs m'a déjà dit que je ne pouvais pas danser parce que j'étais trop grande. Un de mes amis s'est fait dire qu'il ne savait pas dessiner parce qu'il avait reproduit la mauvaise sorte d'arbre. Sornettes ? Pourtant, les enfants obéissants que nous étions y ont cru. Nous avons maintenant le pouvoir de dépasser le contenu de ces messages.

Voici une autre croyance erronée : il faut être artiste pour être créatif. Or, ce n'est là qu'une des nombreuses façons d'être créatif. Vous créez à chaque instant de votre vie — à partir de la plus petite cellule de votre corps jusqu'à vos réactions émotives, en passant par votre emploi, votre compte en banque, vos relations avec vos amis et vos attitudes envers vous-même. Tout cela est une manifestation de votre créativité.

Peut-être êtes-vous passé maître dans l'art de faire un lit ou de préparer de délicieux petits plats, à moins que vous ne fassiez preuve de beaucoup de créativité au travail, dans l'aménagement de votre jardin ou dans les multiples façons que vous trouvez de manifester votre bonté. Ce ne sont là que quelques exemples parmi des millions. Peu importe comment vous choisissez d'exprimer votre créativité, tout ce que vous faites doit vous satisfaire pleinement.

L'Esprit vous guide à chaque pas. Sachez qu'Il ne commet jamais d'erreurs. Lorsque vous ressentez le vif désir de faire ou d'exprimer quelque chose, sachez que c'est la part de divin en vous qui s'exprime. Vos aspirations sont le reflet de votre vocation — quelle que soit votre voie, si vous la suivez, vous serez guidé, protégé et assuré du succès. Lorsqu'un chemin s'ouvre devant vous, vous pouvez choisir de vous y engager avec confiance ou de rester paralysé par la crainte. Vous n'avez qu'à faire confiance à la part de perfection qui réside en vous. Je sais toute la crainte que cela peut faire naître en vous ! Nous avons tous peur de quelque chose, mais vous pouvez dépasser cette peur. N'oubliez pas que l'Univers vous aime et qu'il veut votre bien et votre succès dans tout ce que vous entreprenez.

Votre créativité s'exprime dans chaque chose que vous faites tout au long de la journée. Vous avez une façon unique d'être vous. À la lumière de ce qui

précède, il ne vous reste maintenant qu'à mettre aux poubelles toute conception erronée selon laquelle vous n'êtes pas créatif et vous irez de l'avant dans tous les projets qui vous passent par la tête.

Ne faites jamais l'erreur de penser que vous êtes trop vieux pour faire quoi que ce soit. Pour ma part, ce n'est qu'au milieu de la quarantaine que j'ai commencé à trouver un sens à ma vie, lorsque je me suis mise à enseigner. À 50 ans, j'ai mis sur pied ma maison d'édition, qui était très modeste à l'époque. À 55 ans, je me suis lancée dans l'informatique en prenant des cours et j'ai vaincu la peur que m'inspiraient les ordinateurs. À 60 ans, j'ai commencé à jardiner et aujourd'hui, je m'alimente à partir de mon propre potager biologique. À 70 ans, j'ai pris un cours d'arts plastiques pour enfants. Quelques années plus tard, j'ai entièrement modifié mon écriture manuscrite, inspirée par un atelier donné par Vimala Rodgers, qui a publié *Your Handwriting Can Change Your Life* (*Votre écriture peut changer votre vie*). À 75 ans, j'ai obtenu un diplôme de beaux-arts et j'ai commencé à vendre mes toiles. Maintenant, mon professeur d'arts plastiques me conseille vivement de passer à la sculpture. En outre, j'ai commencé récemment à faire du yoga et j'en constate les effets positifs sur mon corps.

Il y a quelques mois, j'ai décidé de vaincre ma peur et je me suis inscrite à des cours de danse sociale. À raison de quelques heures par semaine, je suis en train de réaliser mon rêve d'enfant, qui était d'apprendre à danser.

J'adore apprendre de nouvelles choses. Qui sait ce que je ferai dans l'avenir. Ce que je sais cependant, c'est que je pratiquerai mes affirmations et trouverai

constamment de nouvelles façons d'exprimer ma créativité jusqu'au jour où je quitterai cette terre.

Que vous ayez en tête un projet précis ou souhaitiez simplement vivre de façon plus créative, faites votre choix parmi les affirmations qui suivent et pratiquez-les dans la joie tout en vous adonnant aux mille et une activités qui vous permettent de manifester votre créativité.

La créativité······················

- ❋ JE LAISSE TOMBER TOUTE RÉSISTANCE À L'EXPRESSION COMPLÈTE DE MA CRÉATIVITÉ.

- ❋ JE RESTE TOUJOURS EN CONTACT AVEC MA SOURCE DE CRÉATIVITÉ.

- ❋ JE CRÉE SANS EFFORT LORSQUE JE LAISSE MES PENSÉES ÉMERGER DE MON CŒUR AIMANT.

- ❋ JE FAIS CHAQUE JOUR QUELQUE CHOSE DE NOUVEAU OU AU MOINS DE DIFFÉRENT.

- ❋ LES OCCASIONS D'EXPRIMER MA CRÉATIVITÉ ABONDENT DANS TOUS LES DOMAINES ET J'AI AMPLEMENT DE TEMPS POUR LES EXPLOITER.

- ❋ MA FAMILLE M'OFFRE TOUT LE SOUTIEN DONT J'AI BESOIN POUR RÉALISER MES RÊVES.

- ❋ TOUS MES PROJETS CRÉATIFS M'APPORTENT LA PLUS GRANDE SATISFACTION.

- ❋ JE SAIS QUE JE PEUX CRÉER DES MIRACLES DANS MA VIE.

- ❋ JE ME SENS BIEN LORSQUE J'EXPRIME MA CRÉATIVITÉ DE MILLE ET UNE FAÇONS.

- ❋ JE SUIS UN ÊTRE UNIQUE : ORIGINAL, CRÉATIF ET MERVEILLEUX.

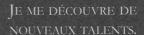

JE ME DÉCOUVRE DE NOUVEAUX TALENTS.

❀ J'EXPRIME MA CRÉATIVITÉ PAR LA MUSIQUE, LES ARTS PLASTIQUES, LA DANSE, L'ÉCRITURE, BREF PAR TOUT CE QUI ME DONNE DU PLAISIR.

❀ LA CLÉ DE LA CRÉATIVITÉ CONSISTE À SAVOIR QUE MES PENSÉES GÉNÈRENT MES EXPÉRIENCES. J'APPLIQUE CE SAVOIR À TOUS LES DOMAINES DE MA VIE.

❀ MA PENSÉE EST LIMPIDE ET JE M'EXPRIME FACILEMENT.

❀ J'APPRENDS À ÊTRE CHAQUE JOUR DE PLUS EN PLUS CRÉATIF.

❀ JE FAIS UN TRAVAIL QUI ME PERMET D'EXPLOITER MES TALENTS ET MES CAPACITÉS, ET JE L'ACCOMPLIS AVEC JOIE.

❀ MON POTENTIEL EST ILLIMITÉ.

❀ MA CRÉATIVITÉ INNÉE ME SURPREND ET ME RAVIT.

❀ JE SUIS EN SÉCURITÉ ET TOUT CE QUE JE FAIS ME COMBLE.

❀ MES TALENTS SONT EN DEMANDE ET MES DONS UNIQUES SONT APPRÉCIÉS DE TOUS CEUX QUI M'ENTOURENT.

❋ LA VIE N'EST JAMAIS PARALYSÉE, STAGNANTE OU FLÉTRIE, CAR CHAQUE MOMENT EST TOUJOURS NEUF ET FRAIS.

❋ MON CŒUR EST LE CENTRE DE MON POUVOIR ET JE L'ÉCOUTE .

❋ JE SUIS L'EXPRESSION JOYEUSE ET CRÉATIVE DE LA VIE.

❋ LES IDÉES ME VIENNENT AISÉMENT ET SANS EFFORT.

OUI, JE PEUX

5

Les relations humaines et la vie sentimentale

L es rapports humains occupent sans contredit une place prépondérante dans la vie de plusieurs d'entre nous. Malheureusement, la course à l'amour n'attire pas nécessairement le bon partenaire, car nos motivations ne sont pas toujours limpides. C'est à tort que nous pensons « *Si seulement quelqu'un pouvait m'aimer, j'aurais une bien meilleure vie.* »

Avoir besoin d'amour et en manquer sont deux choses tout à fait différentes. Le manque existe lorsque vous ne recevez pas assez d'amour et d'approbation de la personne la plus importante que vous connaissiez, c'est-à-dire vous-même. Et vous risquez de nouer des liens de codépendance où les deux partenaires sont perdants.

Jamais vous n'attirerez l'amour en pensant ou en parlant de votre solitude. Lorsqu'on se sent seul et en manque, on éloigne les gens. De la même manière, vous n'améliorerez pas une relation néfaste en disant et en pensant à quel point elle est terrible. Vous ne feriez que mettre l'accent sur le négatif. Il vous faut cesser d'y réfléchir et vous tourner vers des pensées positives débouchant sur une *solution*. Lorsque vous passez votre temps à vous convaincre vous-même de vos propres limites, c'est que vous êtes dans la résistance. Et la résistance n'est qu'une tactique pour remettre à plus tard, une façon de dire « Je ne mérite pas d'avoir ce que je demande. »

Avant de vouloir améliorer toute autre relation, il est impératif de commencer par celle que l'on entretient avec soi-même. Lorsque vous êtes satisfait de vous-même, toutes vos autres relations en bénéficient. Il n'y a rien de plus attirant qu'une personne heureuse. Si vous voulez plus d'amour dans votre vie, commencez par vous aimer vous-même davantage. Pour cela, *cessez* de vous critiquer, de vous blâmer, de vous lamenter et de choisir de vous sentir seul. Choisissez au contraire d'être très heureux en votre propre compagnie et de penser à des choses qui vous font du bien.

Nous avons tous notre façon de ressentir l'amour. Certains ont besoin de *sentir* physiquement qu'on les aime : besoin d'être touchés, enlacés. D'autres ont besoin d'*entendre* les mots « *je t'aime* ». D'autres encore ont besoin de *voir* une manifestation d'amour : un bouquet de fleurs par exemple. La plupart du temps, la façon dont on préfère recevoir de l'amour est celle que l'on utilise soi-même en manifester à quelqu'un d'autre.

Je vous suggère de commencer dès maintenant à vous aimer sans répit. Manifestez concrètement tout l'amour que vous avez pour vous-même par des démonstrations de tendresse. Faites en sorte de vous sentir unique. Mettez des fleurs dans la maison et réveillez vos sens en vous entourant de couleurs, de textures et de parfums qui vous plaisent. La vie ne manque jamais de nous refléter ce que nous ressentons à l'intérieur de nous. Lorsque vous aurez développé un sentiment d'amour et de romantisme à l'intérieur de vous, la personne qui saura le mieux partager votre intimité croissante avec vous-même viendra à vous, attirée comme un aimant.

Pour passer de la solitude à la plénitude dans votre façon de penser, vous devez instaurer en dedans et autour de vous un climat affectif et mental qui reflète l'amour. Laissez vos anciennes conceptions négatives de l'amour se dissiper et commencez plutôt à partager avec tous ceux que vous croisez des sentiments d'amour, d'approbation et d'acceptation.

Lorsque l'on contribue soi-même à la satisfaction de ses propres besoins, on est moins susceptible d'être en manque et de devenir codépendant. Tout dépend de combien d'amour vous avez pour vous-même. Lorsque vous aimerez réellement qui vous êtes, vous resterez centré et calme, et vous sentirez en sécurité. Cela vous permettra d'entretenir, tant à la maison qu'au travail, de merveilleuses relations avec les autres. Vous commencerez à réagir différemment aux gens et aux événements. Ce qui autrefois vous semblait crucial perdra de son importance. De nouvelles personnes entreront dans votre vie alors que d'autres en sortiront — ce qui peut se révéler insécurisant au début, mais ô combien merveilleux, enthousiasmant et régénérateur par la suite !

Lorsque vous aurez cet aspect de votre vie bien en main et que vous saurez ce que vous attendez d'une relation, vous devrez sortir et vous mêler aux gens. Personne ne viendra cogner à votre porte. Les cours du soir et les groupes de soutien sont propices aux rencontres, car s'y côtoient des gens qui pensent de la même façon et qui ont des aspirations semblables. Vous pourriez être surpris de constater la rapidité avec laquelle on peut se faire des amis. Soyez ouvert et réceptif et l'Univers vous répondra, pour votre plus grand bien.

Souvenez-vous de ceci : des pensées agréables vous rendront heureux, tout le monde voudra être en votre compagnie et toutes vos relations actuelles s'en trouveront améliorées.

L'amour

❀ De temps à autre, je demande à ceux que j'aime : « Comment puis-je t'aimer davantage ? »

❀ Je choisis de voir clairement avec les yeux de l'amour. J'aime ce que je vois.

❀ L'amour vient à moi ! Je me libère de mon besoin d'amour désespéré et je permets à l'amour de venir me trouver dans l'espace-temps idéal.

❀ L'amour est partout et la joie se répand dans tout mon univers.

❀ Je suis venu sur cette planète pour apprendre à m'aimer davantage et pour partager cet amour avec tous ceux qui m'entourent.

❀ Mon partenaire est l'amour de ma vie. On s'adore.

❀ La vie est très simple. Ce que je donne me revient. Aujourd'hui, je choisis de donner de l'amour.

❀ Je me réjouis de l'amour qui vient chaque jour à ma rencontre.

❀ Je suis à l'aise de me regarder dans le miroir et de me dire : « Je t'aime, je t'aime vraiment. »

❀ Je mérite maintenant l'amour, ainsi que la joie et toutes les bonnes choses que la vie me réserve.

J'ATTIRE L'AMOUR DANS MA VIE ET JE L'ACCEPTE DÈS MAINTENANT.

L'AMOUR EST PUISSANT, LE VÔTRE ET LE MIEN. IL AMÈNE LA PAIX SUR LA TERRE.

RIEN D'AUTRE N'EXISTE QUE L'AMOUR !

JE SUIS ENTOURÉ D'AMOUR. TOUT VA BIEN.

MON CŒUR EST OUVERT. JE M'EXPRIME AVEC DES MOTS D'AMOUR.

J'AI UN MERVEILLEUX AMOUREUX ET NOUS SOMMES TOUS LES DEUX HEUREUX ET EN PAIX.

IL Y A AU FOND DE MON ÊTRE UN PUITS D'AMOUR INFINI.

J'AI UNE RELATION AGRÉABLE ET INTIME AVEC QUELQU'UN QUI M'AIME VRAIMENT.

❀ JE VIENS D'UN LIEU REMPLI D'AMOUR DANS MON CŒUR ET JE SAIS QUE L'AMOUR OUVRE TOUTES LES PORTES.

❀ JE SUIS BEAU ET TOUT LE MONDE M'AIME. JE SUIS ACCUEILLI AVEC AMOUR PARTOUT OÙ JE VAIS.

❀ JE SUIS EN SÉCURITÉ DANS TOUTES MES RELATIONS, ET JE DONNE ET REÇOIS BEAUCOUP D'AMOUR.

❀ JE N'ATTIRE QUE DES RELATIONS SAINES. JE SUIS TOUJOURS BIEN TRAITÉ.

❀ JE SUIS TRÈS RECONNAISSANT DE TOUT L'AMOUR QU'IL Y A DANS MA VIE. JE LE VOIS PARTOUT.

❀ LES RELATIONS TENDRES ET DURABLES ENSOLEILLENT MA VIE.

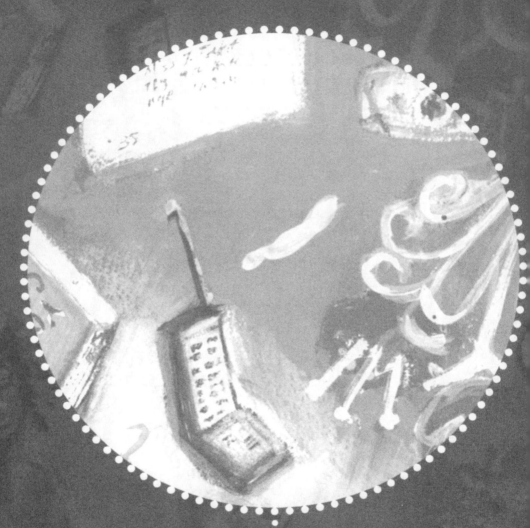

OUI, JE PEUX

6

La réussite professionnelle

Pour bien des gens, la réussite professionnelle représente un vrai problème. Or, on peut toujours avoir du succès au boulot lorsqu'on modifie son attitude à l'égard du travail. Vous n'aurez jamais de plaisir à travailler si vous détestez votre emploi ou ne pouvez souffrir votre patron. C'est absolument désastreux comme affirmation. Vous n'arriverez jamais à vous attirer un merveilleux emploi si vous entretenez de telles croyances. Pour avoir du plaisir à travailler, vous devez modifier votre façon de penser. J'ai la ferme conviction qu'il faut à tout prix répandre de l'amour sur chaque personne, chaque endroit et chaque chose qui compose notre milieu de travail. Commencez par l'emploi que vous occupez actuellement. Affirmez qu'il ne constitue qu'un tremplin vers des emplois beaucoup plus satisfaisants.

L'emploi que vous occupez en ce moment est issu de vos anciennes croyances. C'est votre façon de penser qui l'a attiré vers vous. Vous tenez peut-être votre attitude de celle qu'avaient vos parents à l'égard de leur travail. Peu importe, vous pouvez maintenant apprendre à penser autrement. Alors répandez de l'amour sur votre patron, vos collègues, l'emplacement, l'édifice, les ascenseurs ou les escaliers, les meubles et chacun des clients. Vous mettrez ainsi en place, à l'intérieur de vous, un climat mental d'amour qui aura des effets positifs sur tout votre environnement de travail.

Je n'ai jamais compris ceux qui rabaissent ou réprimandent les personnes avec qui ils travaillent. Comment un chef de service peut-il s'attendre à tirer le meilleur parti de ses employés s'ils ont peur de lui ou s'ils lui en veulent ? Nous avons tous besoin de reconnaissance et d'appréciation. Si vous appuyez et respectez vos employés, ils feront de leur mieux.

Surtout, ne pensez pas qu'il soit difficile de décrocher un emploi. C'est peut-être le cas pour beaucoup de gens, mais pas nécessairement pour vous. Vous avez seulement besoin d'*un* emploi et votre conscience vous ouvrira la voie. Ne croyez pas à la peur. Lorsque vous entendez parler d'un ralentissement dans l'économie ou les affaires, empressez-vous d'affirmer : « *C'est peut-être vrai pour les autres, mais pas pour moi. Je ne connais que la prospérité, peu importe où je suis et ce qui se passe autour de moi.* »

On me demande souvent de concevoir des affirmations ayant pour effet d'améliorer les relations interpersonnelles au travail. En réalité, bon nombre de gens sont aux prises avec ce type de problème. Je suis très consciente du fait que tout ce que je donne me revient au centuple. C'est vrai partout, y compris au travail. Il est important de savoir que c'est l'amour qui a attiré à son poste chaque employé (et employeur) et que, dans le moment présent, chacun y occupe sa juste et divine place. Nous sommes tous imprégnés de l'harmonie divine et nous avons tous ce qu'il faut pour travailler ensemble dans un climat de joie et de productivité.

Il y a une solution à chaque problème, comme il y a une réponse à chaque question. Lorsque vous faites face à un problème de discorde, quel qu'il soit, choisissez toujours de vous élever au-dessus de la mêlée pour essayer de trouver une solution d'inspiration divine. Vous avez peut-être quelque chose à apprendre de la confusion qui en résulte. Acceptez la situation. Il est important de ne blâmer personne et de chercher la vérité à l'intérieur de soi. Prenez conscience de vos anciens schémas de pensée qui ont pu nourrir le désaccord et acceptez de vous en départir.

Vous savez que vous réussissez tout ce que vous entreprenez. Vous êtes inspiré et productif. Vous servez les autres de bon gré. L'harmonie divine règne en vous et autour de vous, ainsi qu'à l'intérieur et autour de chaque personne qui travaille avec vous.

Si vous aimez votre travail, mais que vous estimez ne pas être assez bien rémunéré, répandez de l'amour sur votre salaire actuel. En étant reconnaissant pour ce que l'on reçoit, on permet à son revenu d'augmenter. Et, de grâce, plus un mot contre votre emploi ou vos collègues ! C'est votre conscience qui vous a mis là où vous êtes. C'est aussi elle qui a le pouvoir de vous hisser vers un meilleur emploi. Vous en êtes capable !

Il y a un certain nombre de choses que vous pouvez faire pour vous détendre au travail. En voici quelques-unes.

1. Chaque jour, avant d'aller travailler, faites cet exercice tout simple : asseyez-vous confortablement et concentrez-vous sur votre respiration. Lorsque des pensées surviennent, revenez simplement à votre respiration. Accordez-vous au moins 10 à 15 minutes de silence chaque jour. Il n'y a rien de sorcier là-dedans.

2. Écrivez ou tapez cette affirmation et affichez-la là où vous pourrez la voir facilement de votre poste de travail :

> *« Je travaille dans un havre de paix. Je bénis mon emploi*
> *et le couvre d'amour. Je mets de l'amour dans chaque recoin*
> *et, en retour, je reçois chaleur et réconfort. Je suis en paix. »*

Lorsque vous vous mettez à penser à votre patron, dites cette affirmation dans votre tête :

> *« Je ne donne que ce que je veux recevoir.*
> *Les pensées d'amour et d'acceptation que j'ai pour les autres*
> *se reflètent dans ma vie de mille et une façons. »*

N'acceptez pas de vous laisser limiter par la façon de penser ici-bas. Vous pouvez vivre dans l'amour et dans la joie parce que votre travail a été prévu dans le plan divin. N'oubliez pas de vous répéter ceci chaque jour avant d'aller au travail :

« Où que je sois, il ne règne autour de moi que bien infini, sagesse infinie, harmonie infinie et amour infini. »

La réussite professio

❁ MON TRAVAIL ME PERMET D'EXPRIMER MES TALENTS ET MES HABILETÉS, ET JE SUIS RECONNAISSANT D'OCCUPER CET EMPLOI.

❁ LA JOIE QUE ME PROCURE MA CARRIÈRE CONTRIBUE À MON BONHEUR GLOBAL.

❁ JE PRENDS DES DÉCISIONS FACILEMENT. JE SUIS OUVERT AUX NOUVELLES IDÉES ET JE DONNE SUITE À MES PROPOS.

❁ AU TRAVAIL, MES COLLÈGUES ET MOI NOUS ENCOURAGEONS MUTUEL-LEMENT DANS NOTRE DÉVELOP-PEMENT PROFESSIONNEL.

❁ LE MATIN, AU RÉVEIL, JE ME PRÉPARE À PASSER UNE BONNE JOURNÉE. MON ATTITUDE M'ATTIRE DES EXPÉRIENCES POSITIVES.

❁ L'EMPLOI IDÉAL EST À MA RECHERCHE ET NOUS SOMMES RASSEMBLÉS EN CE MOMENT MÊME.

❁ JE CROIS SINCÈREMENT QUE NOUS SOMMES ICI POUR NOUS AIMER ET NOUS AIDER LES UNS LES AUTRES À PROSPÉRER. CETTE CROYANCE GUIDE CHACUNE DE MES INTERACTIONS.

❁ JE CHOISIS DES SOURCES DE STIMULATION SAINES. LORS DES PAUSES-CAFÉ, JE M'ADRESSE AUX AUTRES DE MANIÈRE POSITIVE ET J'ÉCOUTE AVEC COMPASSION.

nelle ··········

❋ JE SUIS À L'AISE DE PARLER EN PUBLIC. J'AI CONFIANCE EN MOI.

❋ LORSQUE J'AI DES PROBLÈMES AU TRAVAIL, J'ACCEPTE DE DEMANDER DE L'AIDE.

❋ JE CRÉE UNE BONNE ATMOSPHÈRE AU TRAVAIL. JE SAIS QUE L'UNIVERS EST GOUVERNÉ PAR DES LOIS ET JE M'EN INSPIRE DANS CHAQUE SECTEUR DE MA VIE.

❋ LORSQUE JE FAIS DE MON MIEUX AU TRAVAIL, JE SAIS QUE JE SUIS RÉCOMPENSÉ DE TOUTES SORTES DE FAÇONS.

❋ LES LIMITES NE SONT QUE DES POSSIBILITÉS DE CROISSANCE PERSONNELLE. JE LES FRANCHIS UNE À UNE POUR PARVENIR À LA RÉUSSITE.

❋ LES OCCASIONS DE CROISSANCE SONT PARTOUT. J'AI UNE MULTITUDE DE CHOIX.

❋ JE SUIS LA VEDETTE DE MON PROPRE FILM. J'EN SUIS ÉGALEMENT L'AUTEUR ET LE METTEUR EN SCÈNE. JE ME CRÉE DE MERVEILLEUX RÔLES DANS MON MILIEU DE TRAVAIL.

❀ JE RÉAGIS BIEN À L'AUTORITÉ ET, EN RETOUR, JE SUIS TOUJOURS RESPECTÉ.

❀ TRAVAILLER ENSEMBLE FAIT PARTIE DES BUTS DE LA VIE. J'AIME LES GENS AVEC QUI JE TRAVAILLE.

❀ JE MÉRITE DU SUCCÈS DANS MA CARRIÈRE ET JE L'ACCEPTE DÈS MAINTENANT.

❀ TOUS CEUX QUE JE CROISE AU TRAVAIL AUJOURD'HUI ONT MES INTÉRÊTS À CŒUR.

❀ MON EMPLOI FAVORISE L'ÉPANOUIS-SEMENT DE MON POTENTIEL SUPÉRIEUR. J'AI DU SUCCÈS DANS TOUT CE QUE J'ENTREPRENDS.

❀ J'EXCELLE LORSQUE VIENT LE TEMPS D'ENCOURAGER LES AUTRES ET DE LEUR DONNER DES RÉTROACTIONS POSITIVES.

❀ MON POTENTIEL EST ILLIMITÉ. IL N'Y A QUE DU BON QUI M'ATTENDE.

❀ MON MILIEU DE TRAVAIL EST TRÈS AGRÉABLE. MES COLLÈGUES SE RESPECTENT MUTUELLEMENT.

LES LIMITES NE SONT QUE DES POSSIBILITÉS DE CROISSANCE PERSONNELLE. JE LES FRANCHIS UNE À UNE POUR PARVENIR À LA RÉUSSITE.

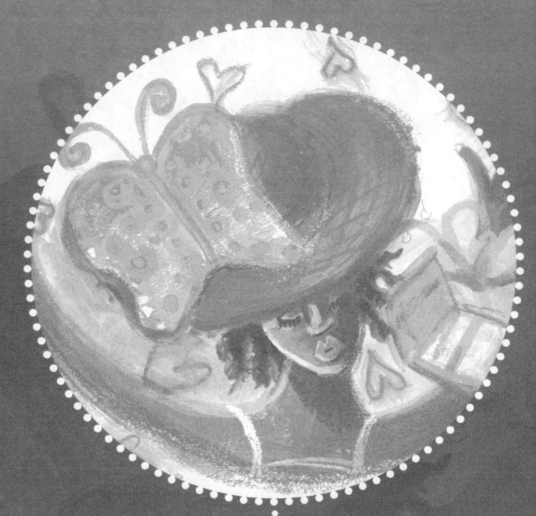

OUI, JE PEUX

7

Une vie
sans stress

C'est dans l'instant présent que vous appréciez ou non votre vie. Les pensées que vous avez déterminent la façon dont vous vous sentez dans votre corps à l'instant même. Elles déterminent également vos expériences futures. Si vous êtes facilement stressé et que vous vous faites des montagnes avec un rien, vous ne trouverez jamais la paix intérieure.

On entend beaucoup parler de stress de nos jours. Tout le monde est stressé par quelque chose. Le mot *stress* est utilisé à tort et à travers, souvent comme échappatoire : « Je suis tellement stressé » ou « C'est tellement stressant », ou encore « Du stress, du stress, encore du stress. »

Je crois que le stress est une réaction de peur face aux multiples changements qui surviennent dans la vie. C'est une forme d'excuse à laquelle nous faisons souvent appel pour éviter d'assumer nos sentiments. Rejeter le blâme sur quelqu'un ou sur quelque chose d'autre nous permet de jouer les victimes innocentes. Mais être une victime n'a jamais rendu personne heureux et cela ne change rien à rien.

Le stress vient souvent du fait que nous ne savons plus ce qui est important pour nous. Nous sommes si nombreux à croire que l'argent occupe la première place dans notre vie. Mais rien n'est plus faux. Il existe quelque chose de beaucoup plus important, sans lequel nous ne pourrions vivre. Et qu'est-ce donc ? Notre *souffle*.

Le souffle est notre bien le plus précieux. Et pourtant, jamais nous ne doutons que, après l'expiration, l'inspiration viendra d'elle-même. Si on ne pouvait pas inspirer, on ne vivrait pas trois minutes. Or, si la Puissance Supérieure qui nous a créés nous a donné assez de souffle pour nous rendre au bout de notre voyage ici-bas, pourquoi ne nous aurait-elle pas fourni également tout ce dont nous avons besoin d'autre pour vivre ?

Lorsque nous faisons confiance à la vie pour résoudre toutes nos petites difficultés, le stress disparaît comme par enchantement.

Ne perdez pas de temps à nourrir des pensées ou des émotions négatives : vous ne feriez qu'amplifier ce que vous essayez d'éliminer. Si vous répétez vos affirmations positives chaque jour sans obtenir les résultats attendus, demandez-vous combien de fois par jour vous vous laissez aller à vous sentir mal ou contrarié. Ces émotions sont probablement à la source même de votre frustration, freinant la matérialisation de vos affirmations et stoppant l'arrivée des bonnes choses dans votre vie.

La prochaine fois que vous vous vivrez un stress, cherchez-en la source. Le stress vient de la peur, c'est aussi simple que cela. Il n'y a aucune raison d'avoir peur de la vie ou de vos émotions. Que vous infligez-vous à vous même pour ressentir une telle peur ? Tout en vous aspire à la joie, à l'harmonie et à la paix.

L'harmonie vient lorsqu'on est en paix avec soi-même. Le stress et l'harmonie ne peuvent se côtoyer simultanément chez une même personne. Lorsqu'on est en paix, on accomplit une chose à la fois. On ne se laisse pas perturber.

Lorsque vous êtes stressé, faites quelque chose pour dissiper la peur : respirez profondément ou allez marcher d'un bon pas. Énoncez l'affirmation suivante :

« Je suis la seule puissance qui existe dans mon univers ;
et je me crée une vie remplie de paix, d'amour, de joie et de satisfaction. »

Un sentiment de sécurité doit vous envelopper. N'accordez pas tant de pouvoir à un tout petit mot comme *stress*. Ne vous en servez pas comme excuse pour générer de la tension dans votre corps. Rien ni personne n'a de pouvoir sur vous. Il n'y a personne d'autre que vous dans votre tête et ce sont vos pensées qui créent votre vie.

Alors, exercez-vous à avoir des pensées qui vous font du bien. De cette façon, vous serez toujours en train de façonner votre vie *à partir de* la joie et *dans* la joie. Celle-ci est une source perpétuelle d'occasions de se réjouir.

Une vie sans stress...

❀ JE ME LIBÈRE ENTIÈREMENT DE MES DOUTES ET DE MES PEURS, ET LA VIE DEVIENT SIMPLE ET FACILE POUR MOI.

❀ JE ME CRÉE UN UNIVERS SANS STRESS.

❀ JE DÉTENDS TOUS LES MUSCLES DE MON COU ET JE LIBÈRE TOUTE TENSION DANS LES ÉPAULES.

❀ J'INSPIRE ET J'EXPIRE LENTEMENT, ET JE ME DÉTENDS UN PEU PLUS CHAQUE FOIS.

❀ JE SUIS EN PLEINE POSSESSION DE MES MOYENS ET EN MESURE D'AFFRONTER TOUT CE QUI SE PRÉSENTE À MOI.

❀ JE SUIS CENTRÉ ET CONCENTRÉ. JE ME SENS DE PLUS EN PLUS EN SÉCURITÉ CHAQUE JOUR.

❀ JE SUIS D'HUMEUR ÉGALE ET BIEN ÉQUILIBRÉ SUR LE PLAN ÉMOTIF.

❀ JE SUIS BIEN DANS MA PEAU ET À L'AISE AVEC LES AUTRES.

❀ J'EXPRIME MES ÉMOTIONS EN TOUTE CONFIANCE ET JE RESTE SEREIN QUOI QU'IL ADVIENNE.

❀ J'ENTRETIENS DE MERVEILLEUSES RELATIONS AVEC MES AMIS, LES MEMBRES DE MA FAMILLE ET MES COLLÈGUES DE TRAVAIL. JE SUIS APPRÉCIÉ.

JE COMPRENDS QUE LE STRESS N'EST QUE DE LA PEUR. JE ME LIBÈRE MAINTENANT DE TOUTES MES PEURS.

JE SUIS EN PAIX AVEC MES FINANCES ET J'ARRIVE TOUJOURS À RÉGLER MES FACTURES À TEMPS.

LA SÉCURITÉ FINANCIÈRE ME RASSURE ET ME PERMET D'ENVISAGER L'AVENIR AVEC CONFIANCE.

J'ÉVOLUE TOUJOURS DANS UNE ATMOSPHÈRE D'AMOUR, AUSSI BIEN AU TRAVAIL QU'À LA MAISON.

JE SUIS CAPABLE DE RÉGLER TOUS LES PROBLÈMES QUI POURRAIENT SE PRÉSENTER DANS LA JOURNÉE.

JE ME LIBÈRE DES PEURS QUI ME VIENNENT DE L'ENFANCE. JE SUIS UN ÊTRE HUMAIN EN SÉCURITÉ ET EN PLEINE POSSESSION DE SES MOYENS.

LORSQUE JE SUIS TENDU, JE PENSE À RELÂCHER TOUS LES MUSCLES ET ORGANES DE MON CORPS.

JE ME LIBÈRE DE TOUTE LA NÉGATIVITÉ LOGÉE DANS MON CORPS ET DANS MON ESPRIT.

❄ JE SUIS EN TRAIN D'APPORTER DES CHANGEMENTS BÉNÉFIQUES DANS TOUS LES DOMAINES DE MA VIE.

❄ J'AI LA FORCE DE RESTER CALME FACE AU CHANGEMENT.

❄ JE SUIS DISPOSÉ À APPRENDRE. PLUS J'APPRENDS, PLUS JE GRANDIS.

❄ PEU IMPORTE MON ÂGE, JE PEUX ENCORE APPRENDRE ET JE LE FAIS AVEC CONFIANCE.

❄ JE MÉDITE RÉGULIÈREMENT ET J'EN TIRE DE NOMBREUX BIENFAITS.

❄ JE FERME LES YEUX, JE PENSE À DES CHOSES POSITIVES, ET J'INSPIRE ET EXPIRE LA BONTÉ À CHAQUE RESPIRATION.

J'AI LA FORCE DE RESTER CALME FACE AU CHANGEMENT.

OUI, JE PEUX

8

L'estime de soi

Vous aurez toujours une piètre estime de vous-même si vous entretenez des pensées négatives à votre sujet.

L'estime de soi se résume à se sentir bien dans sa peau ct, lorsqu'on y parvient, on prend confiance en soi. À son tour, la confiance en soi nourrit l'estime de soi, qui fait grandir la confiance en soi, et ainsi de suite. Une fois le mécanisme enclenché, tout devient possible.

Puisque l'estime de soi, c'est l'opinion qu'on a de soi-même, libre à vous de penser ce que vous voulez. Pourquoi donc voudriez-vous vous diminuer à vos propres yeux ?

À la naissance, vous débordiez de confiance en vous. Vous êtes arrivé sur terre en sachant à quel point vous étiez merveilleux. Bébé, vous étiez la perfection même. Vous n'aviez rien à faire pour cela. Vous étiez déjà parfait et agissiez comme si vous étiez conscient de cette perfection. Vous saviez que vous étiez le centre de l'Univers. Vous n'aviez pas peur de réclamer votre dû. Vous vous exprimiez librement. Votre mère le savait quand vous étiez fâché ; en fait, tout le voisinage le savait. Et, lorsque vous étiez heureux, votre sourire illuminait toute la pièce. Vous débordiez d'amour et de confiance.

Les bébés qu'on prive d'amour finissent par mourir. Plus vieux, on apprend à vivre sans, mais les tout-petits ne le peuvent pas. Aussi les bébés vénèrent-ils chaque centimètre de leur anatomie même leurs excréments. Ils ne connaissent ni culpabilité, ni honte, ni comparaisons. Ils se savent uniques et merveilleux tels qu'ils sont.

Vous étiez comme ça, vous aussi. Et puis, durant l'enfance, des gens bien intentionnés en l'occurrence vos parents vous ont transmis leur insécurité, faisant naître en vous la peur et le sentiment de ne pas être à la hauteur. C'est alors que vous avez commencé à nier votre propre magnificence. Ces pensées et ces sentiments n'ont jamais été vrais et ils ne le sont certainement pas maintenant. Je vous demande donc de vous reporter à cette époque de votre vie où vous vous aimiez et, pour ce faire, vous allez utiliser un miroir.

Le miroir est un puissant outil de travail, simple à utiliser. Vous n'avez qu'à vous installer devant lui et à prononcer vos affirmations. Il nous renvoie nos véritables sentiments. Dans l'enfance, la plupart de nos sentiments négatifs nous ont été transmis par des adultes et, dans bien des cas, ces derniers nous regardaient droit dans les yeux, souvent en agitant l'index. Aujourd'hui, la plupart d'entre

nous ne pouvons nous regarder dans le miroir sans passer de remarques désobligeantes. Nous critiquons notre apparence ou nous nous faisons des reproches pour un oui ou pour un non.

Une des façons les plus efficaces d'obtenir des résultats rapides avec les affirmations consiste à se placer devant le miroir et à se faire un compliment en se regardant droit dans les yeux. Je dis aux gens de pratiquer cet exercice chaque fois qu'ils passent devant un miroir.

S'il vous arrive quelque chose de déplaisant durant la journée, précipitez-vous devant un miroir et dites-vous : « *Je t'aime quand même.* » Les événements se succèdent et ne se ressemblent pas, mais l'amour que vous avez pour vous-même peut être constant et c'est votre bien le plus précieux. Lorsqu'il vous arrive quelque chose de merveilleux, allez devant le miroir et dites-vous « *Merci !* » Remerciez-vous d'avoir créé cette merveilleuse expérience.

Dès le matin au réveil et avant d'aller au lit, je veux que vous vous disiez, en vous regardant droit dans les yeux : « *Je t'aime. Je t'aime réellement et je t'accepte tel que tu es.* » Ce sera peut-être difficile au début, mais bientôt vous y croirez. Avez-vous hâte ?

Au fur et à mesure que vous apprendrez à vous aimer, vous vous respecterez davantage. En outre, il vous sera plus facile d'apporter dans votre vie les changements que vous souhaitez, car vous saurez qu'ils vous conviennent. L'amour est toujours en dedans de vous, jamais à l'extérieur. Plus vous vous donnerez d'amour, plus vous vous en attirerez.

Alors, choisissez les nouvelles *pensées* que vous aurez à votre propre égard ainsi que les nouveaux *mots* avec lesquels vous vous direz combien vous êtes magnifique et méritez tout ce que la vie peut vous apporter de bon.

L'estime de soi..........

❀ JE SUIS À LA HAUTEUR, QUELLE QUE SOIT LA SITUATION.

❀ JE CHOISIS DE M'APPRÉCIER. JE MÉRITE DE M'AIMER.

❀ JE SUIS CAPABLE DE FAIRE FACE. J'ACCEPTE MON PROPRE POUVOIR ET JE L'UTILISE.

❀ JE PEUX, EN TOUTE SÉCURITÉ, DIRE CE QUE JE PENSE.

❀ JE NE TIENS PAS COMPTE DE CE QUE LES AUTRES DISENT OU FONT. CE QUI IMPORTE, C'EST COMMENT JE CHOISIS DE RÉAGIR ET CE QUE JE CHOISIS DE CROIRE À MON SUJET.

❀ JE RESPIRE PROFONDÉMENT ET ME RELAXE. LE CALME ENVAHIT TOUT MON ÊTRE.

❀ JE SUIS AIMÉ ET ACCEPTÉ TEL QUE JE SUIS, ICI ET MAINTENANT.

❀ JE VOIS LE MONDE À TRAVERS LES YEUX DE L'AMOUR ET DE L'ACCEPTATION. TOUT VA POUR LE MIEUX DANS MON UNIVERS.

❀ J'AI UNE HAUTE ESTIME DE MOI-MÊME, CAR JE RESPECTE QUI JE SUIS.

❀ J'ACCEPTE DE ME LIBÉRER DE TOUT BESOIN DE LUTTER OU DE SOUFFRIR. JE MÉRITE TOUT CE QU'IL Y A DE BON.

> JE SUIS UN ÊTRE RADIEUX
> QUI JOUIT DE LA VIE AU
> MAXIMUM.

❁ MA VIE DEVIENT CHAQUE JOUR PLUS MERVEILLEUSE. J'ENTREVOIS AVEC PLAISIR CE QUE CHAQUE HEURE À VENIR M'APPORTERA.

❁ JE SUIS BIEN TEL QUE JE SUIS ET JE N'AI RIEN À PROUVER À PERSONNE.

❁ AUJOURD'HUI, RIEN NI PERSONNE NE PEUT M'IRRITER OU ME CONTRARIER. JE CHOISIS D'ÊTRE EN PAIX.

❁ JE PEUX TROUVER UNE SOLUTION À CHAQUE PROBLÈME QUE JE RISQUE DE SUSCITER.

❁ LA VIE ME SOUTIENT DE TOUTES LES FAÇONS POSSIBLES.

❁ MA CONSCIENCE EST REMPLIE DE PENSÉES SAINES, POSITIVES ET AIMANTES QUI SE REFLÈTENT DANS MES EXPÉRIENCES.

❁ J'AVANCE DANS LA VIE EN SACHANT QUE JE SUIS EN SÉCURITÉ — PROTÉGÉ ET GUIDÉ PAR LE DIVIN.

❊ J'ACCEPTE LES AUTRES TELS QU'ILS SONT ET, EN RETOUR, EUX AUSSI M'ACCEPTENT.

❊ JE SUIS FORMIDABLE ET JE ME SENS VRAIMENT BIEN. JE SUIS RECONNAISSANT DE LA VIE QUE J'AI.

❊ LE MOMENT PRÉSENT EST LE SEUL QUE J'AIE VRAIMENT. JE CHOISIS DE L'APPRÉCIER.

❊ JE POSSÈDE L'ESTIME DE SOI, LE POUVOIR ET LA CONFIANCE NÉCESSAIRES POUR FAIRE MON CHEMIN FACILEMENT DANS LA VIE.

❊ LE PLUS BEAU CADEAU QUE JE PUISSE M'OFFRIR EST DE M'AIMER DE MANIÈRE INCONDITIONNELLE.

❊ JE M'AIME TEL QUE JE SUIS. JE N'ATTENDS PLUS D'ÊTRE PARFAIT POUR M'AIMER.

J'AVANCE DANS LA
VIE EN SACHANT QUE
JE SUIS EN SÉCURITÉ
—PROTÉGÉ ET GUIDÉ
PAR LE DIVIN.

OUI, JE PEUX

Conclusion

Après avoir fait vos affirmations, relâchez-les. Vous avez effectué vos choix, avez pensé et énoncé les affirmations nécessaires à leur matérialisation ; maintenant, vous devez les relâcher dans l'Univers afin que les lois de la vie puissent vous les apporter.

Si vous vous inquiétez de savoir *comment* vos affirmations se concrétiseront, vous ne faites que retarder le processus. Il ne vous appartient *pas* de trouver comment vos affirmations se matérialiseront. Les lois de l'attraction fonctionnent comme ceci : vous déclarez que vous avez quelque chose, et l'Univers se charge de vous l'apporter. L'Univers est beaucoup plus habile que vous et Il connaît toutes les façons possibles de faire en sorte que vos affirmations se matérialisent. Si elles tardent à se manifester ou que vous avez l'impression de ne pas être écouté, une seule explication est possible : une partie de vous *ne croit pas qu'elle*

y a droit. Ou encore vos croyances ont tellement de pouvoir qu'elles supplantent vos affirmations.

Si vous déclarez « *Mon revenu augmente* » et que ça n'arrive pas, peut-être croyez-vous profondément depuis toujours que vous ne méritez pas la prospérité, à moins que ce ne soit votre famille qui ait toujours entretenu des idées négatives au sujet de l'argent et qu'une partie de vous endosse encore ces croyances.

Les enfants sont tellement obéissants qu'ils vivent parfois jusqu'à la fin de leurs jours selon les préceptes de leurs parents… ou jusqu'à ce qu'ils choisissent d'examiner de près les croyances de ces derniers.

Votre mère ou votre père se plaisait peut-être à répéter que l'argent était dur à trouver et vous voilà, à l'âge adulte, avec cette croyance bien implantée dans votre subconscient. Si vous croyez une telle chose, l'Univers ne pourra vous apporter ce que vous demandez tant et aussi longtemps que vous ne vous libérerez pas de cette pensée.

Je demande souvent aux gens de réfléchir aux croyances entretenues par leur famille sur divers sujets. Si la prospérité vous concerne plus particulièrement, prenez une grande feuille de papier et écrivez tout ce que les membres de votre famille disaient au sujet de l'argent lorsque vous étiez enfant. S'il y a des énoncés négatifs (n'oubliez pas que *tous* ces énoncés équivalaient à des affirmations faites par votre famille), vous devez les transformer en affirmations positives. En vous libérant de la tyrannie des affirmations négatives de vos parents, vous ouvrirez la porte à l'abondance dans chaque domaine de votre vie.

Surtout, ne vous laissez pas décourager par les reculs qui peuvent survenir. Tout ceci est nouveau pour vous. À mesure que vous développerez vos habiletés, votre vie n'en sera que plus facile.

Rappelez-vous…

Aussi merveilleux que puisse être le moment présent, l'avenir pourrait vous réserver encore plus de joie et de satisfaction. L'Univers se tient toujours là, calme et souriant, en attendant le jour où notre pensée se mettra au diapason de ses lois. Lorsque nous sommes au diapason, tout circule librement. <u>Oui</u>, c'est possible. Oui, vous le <u>pouvez</u>. <u>Je</u> le peux. Nous le <u>pouvons</u>. Faites l'effort nécessaire. Vous en serez ravi. Toute votre vie prendra un nouvel essor.

OUI, JE PEUX

Louise L. Hay

Conférencière, professeure de métaphysique et auteure de best-sellers, LOUISE L. HAY a publié de nombreux ouvrages, dont *You Can Heal Your Life* et *Empowering Women*. Ses livres ont été traduits en 26 langues, dans 35 pays. Louise a commencé sa carrière en 1981, à titre de ministre de la Science du mental. Elle a déjà aidé des millions de gens à découvrir et à exploiter leur plein potentiel créateur à des fins de croissance personnelle et d'autoguérison. Louise est fondatrice et présidente de Hay House, Inc., une maison d'édition qui diffuse des livres et des cassettes audio et vidéo contribuant à guérir la planète.

Site web : WWW.LOUISELHAY.COM

Illustré par

Joan Perrin-Falquet

www.falquet.com

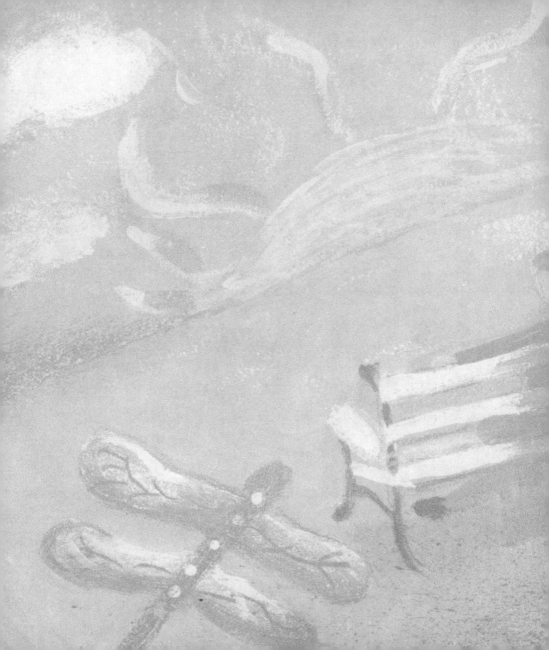

Pour obtenir une copie
de notre catalogue,
veuillez nous contacter :

Par téléphone au : (450) 929-0296
Par télécopieur au : (450) 929-0220
ou via courriel à
info@ada-inc.com

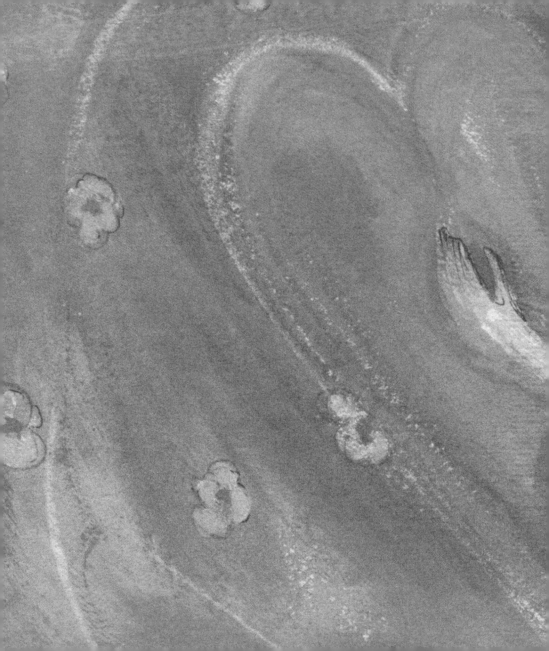